Mónica López  Valeria Dávila

Ilustraciones de Pablo Tambuscio

SI YO FUERA MAGO,
ESTOY MUY SEGURO,
USARÍA MOÑO
Y CHALECO OSCURO.

EL SACO CON MANGAS
ANCHAS DE MI ABUELO,
PARA ESCONDER CARTAS,
TRUCOS Y PAÑUELOS.

DE UNA GRAN GALERA
GRIS DE TERCIOPELO
SALDRÍAN PALOMAS
A REMONTAR VUELO.

Y CON MI VARITA
DOS GOLPES DARÍA:
TRES CONEJOS BLANCOS
APARECERÍAN.

QUÉ BELLA SERÍA
MI FIEL ASISTENTE...
MUY NEGROS LOS OJOS,
MUY BLANCOS LOS DIENTES.

EN DOS PEDACITOS
YO LA CORTARÍA.
PERO POR LA MAGIA,
NO LE DOLERÍA.

DESPUÉS TRAGARÍA
ANTORCHAS DE FUEGO.
PERO POR LA MAGIA,
NO TENDRÍA MIEDO.

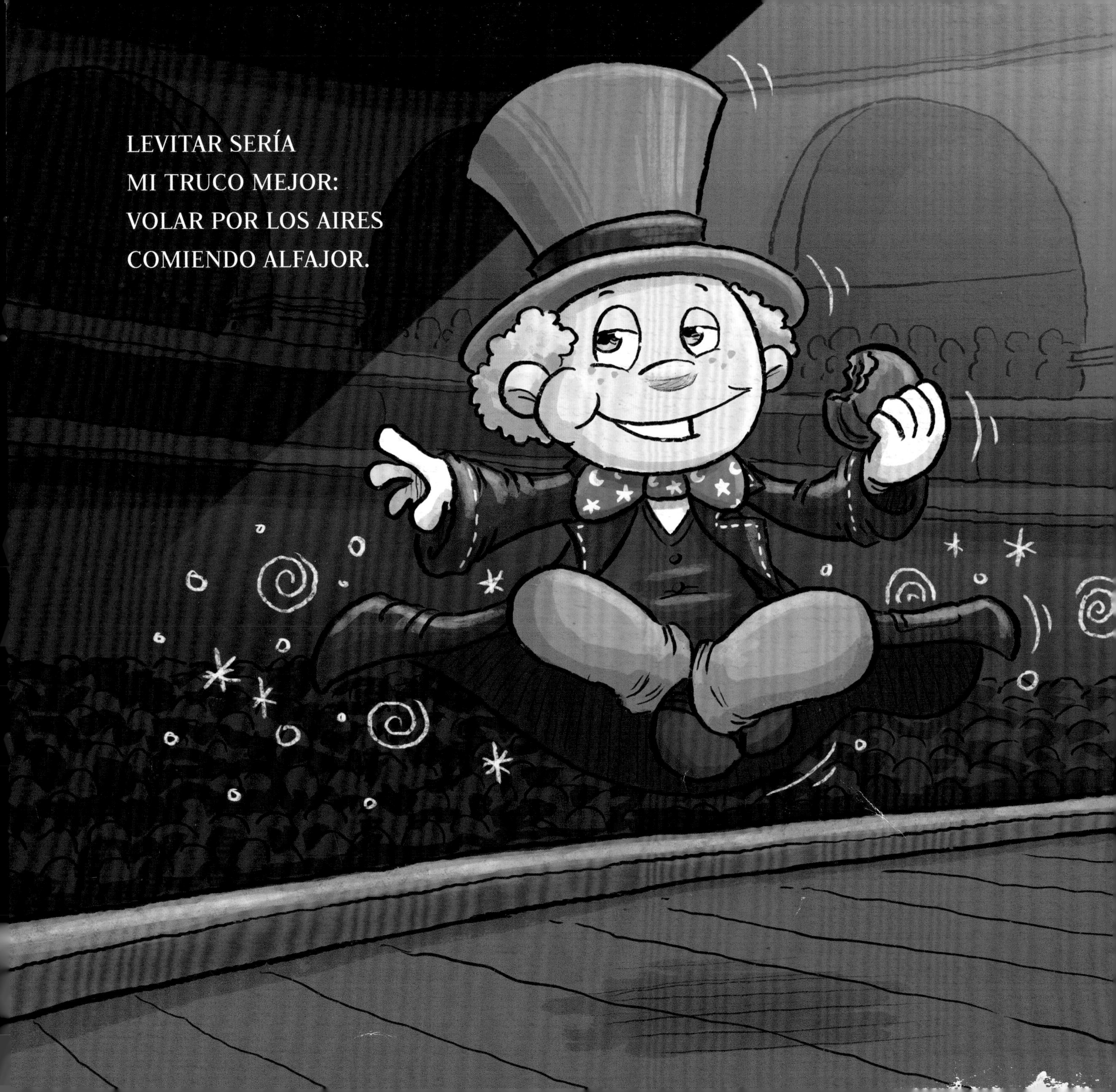

LEVITAR SERÍA
MI TRUCO MEJOR:
VOLAR POR LOS AIRES
COMIENDO ALFAJOR.

SENTADO EN MI SILLA,
¡QUÉ GOLPE DE EFECTO!,
LLEGAR HASTA EL TECHO.
UN TRUCO PERFECTO.

Y TAMBIÉN SABRÍA
CÓMO LEER LA MENTE,
Y SABER LAS COSAS
QUE PIENSA LA GENTE.

EN UN ESCENARIO,
CIENTOS DE FUNCIONES,
APLAUSOS Y VIVAS,
GRITOS Y OVACIONES.

CON “ABRACADABRAS”
TODO LO PODRÍA.
A MI HERMANA EN MONO
LA CONVERTIRÍA.

SI YO FUERA MAGO...
¡CUÁNTA MAGIA HARÍA!
CON MI GRAN VARITA
TODO TOCARÍA.

TAMBIÉN MIS CUADERNOS
SE TRANSFORMARÍAN.
YA NO HABRÍA FALTAS
DE ORTOGRAFÍA.

V CORTA Y B LARGA
NO CONFUNDIRÍA.
Y HASTA LOS ACENTOS
SOLOS SE PONDRÍAN.

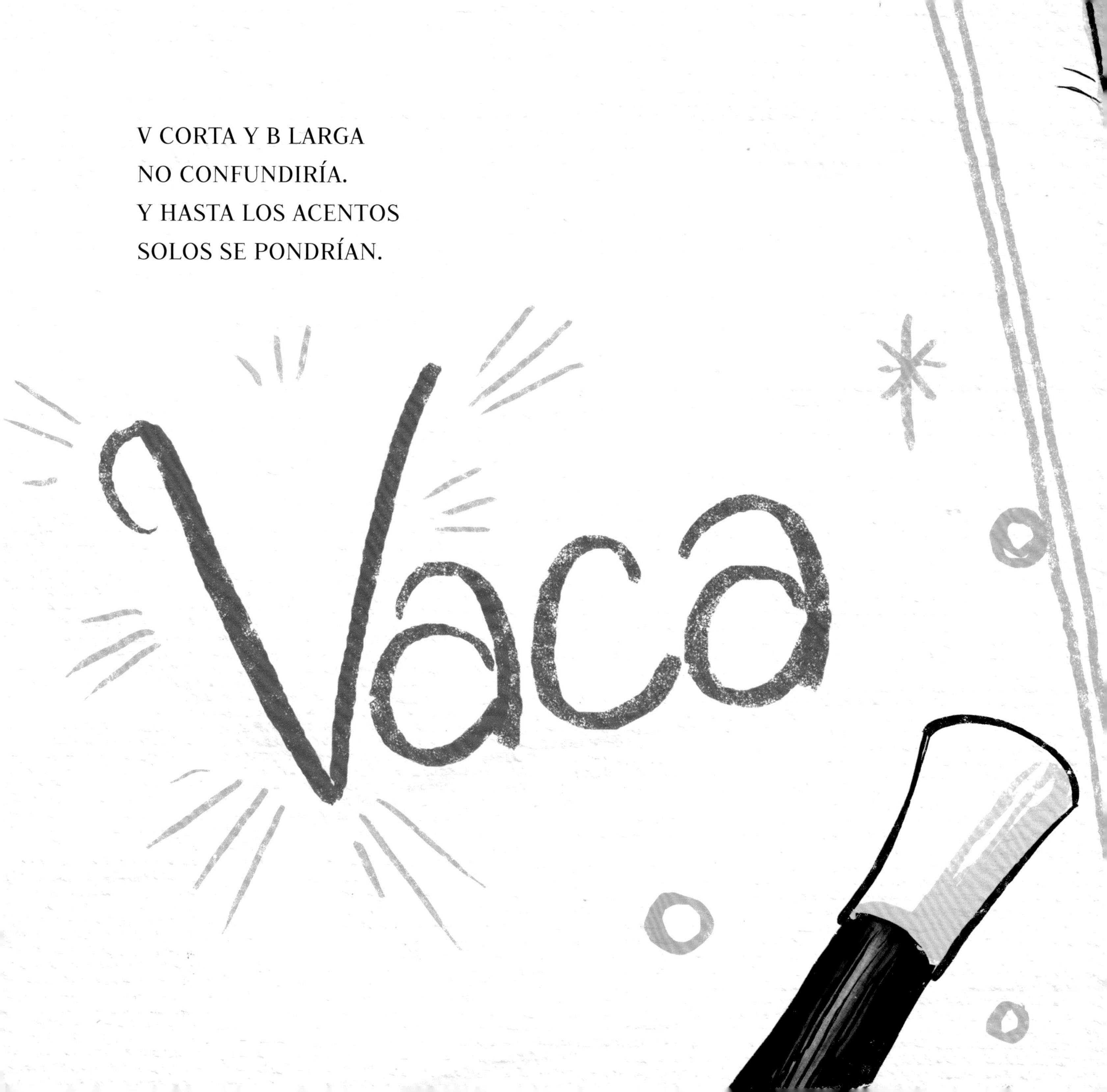

Bueno,
Canción

NUNCA MÁS MANCHONES
NI RAYAS TORCIDAS.
TODO PROLIJITO.
¡QUÉ CALIGRAFÍA!

PERO NO SOY MAGO
NI HAGO PROEZAS.
SI REMONTO VUELO,
CAIGO DE CABEZA.

A
A

SOY TAN SOLO UN NIÑO
Y VOY A LA ESCUELA.
ME SÉ UN SOLO TRUCO
QUE APLAUDE MI ABUELA.

Serie **Si Yo fuera**

López, Mónica
Si yo fuera mago / Mónica López y Valeria Dávila ; ilustrado por Pablo Tambuscio. - 1a ed. - Ciudad Autónoma de Buenos Aires : AZ, 2015.
40 p. : il. ; 24x22 cm.

ISBN 978-987-35-0232-3

1. Literatura Infantil Argentina . I. Dávila, Valeria II. Tambuscio, Pablo, ilus. III. Título
CDD A863.928 2

Fecha de catalogación: 06/08/2014

Diseño de tapa: Santiago Di Camillo

Montenegro 1335 (C1427ANA)
Ciudad Autónoma de Buenos Aires, Argentina
Tel.: (+54 11) 4552-0505 / 9989
contacto@az.com.ar
AZ.com.ar

Libro de edición argentina
Hecho el depósito según la Ley 11.723

Mónica López

Me encanta jugar con las palabras; descubrir lo que dicen, lo que no dicen, cómo suenan... Disfruto cuando con ellas puedo abrir caminos para expresar lo que siento y lo que pienso.
Tenía nueve años cuando me regalaron mi primer "diario íntimo" y desde entonces supe que las palabras tendrían un lugar muy importante en mi vida.

Valeria Dávila

Desde chica, me gusta mucho leer historias. Grandes, chiquitas, redondas, juguetonas y saltarinas.
En cuarto grado escribí una composición, y a mi seño le gustó tanto que se la leyó a la Directora, a mis compañeros y a un perrito salchicha que pasaba. Desde ese día, las historias me revolotean adentro. Y las escribo, para que vuelen libres.

Pablo Tambuscio

Dibujo desde chico, no sé bien por qué. ¿Será porque todos los chicos dibujan? Me divertía mucho garabateando, inventando personajes, dándoles forma y color, creando mundos infinitos. Pasaron los años, crecí, cambiaron muchas cosas. Pero hoy, aunque ya no soy un chico, sigo dibujando. ¿Por qué no hacerlo si está buenísimo?

A-Z editora S. A. ha dado término
a la impresión de esta obra en marzo de 2016.
Impreso en China